ここで新免《しんめん》武蔵《たけぞう》は死んだ
この村の者たちにとってそうした方がよい
特に本位田《ほんいでん》の婆《ばば》などは……
お上《かみ》にもそういうことにしておく
だがお前を生み育《はぐ》んだこの故郷を忘れるな
宮本《みやもと》村を胸に抱いて生きろ武蔵《たけぞう》
これからは——
バガボンド3

宮《みや》本《もと》武《む》蔵《さし》と
名乗れ
バガボンド
井上雄彦
原作／吉川英治『宮本武蔵』より
（講談社・吉川英治歴史時代文庫刊）
3巻
#22 宮《みや》本《もと》武《む》蔵《さし》

京《きょう》

新《しん》免《めん》武《たけ》蔵《ぞう》 改め
宮《みや》本《もと》武《む》蔵《さし》 21歳の春

ここが京《きょう》か
気のせいか皆垢《あか》抜けて見える……
なんだあの汚いのは……
木剣《ぼっけん》などさして…
だせえ
ドキドキするな
あの宮本《みやもと》村の山奥にもその名の聞こえる
剣の天才といわれる男達がここにいるのだ
ブツブツ
京八流《きょうはちりゅう》吉岡《よしおか》道場《どうじょう》
吉岡清十郎《よしおかせいじゅうろう》
避けては通れん

いや──っ
待て──い
待て待てぇ──い
や──っ
ぎゅっ
つかまえた!
もうっ

カクカクカクカク
ぎゃーーっはははは!!
やめてーーっ!!
お前もだっ
カクカクカク
やーーっいやーーっ!!
あれも……
侍《さむらい》か?
京の侍もいろいろだ
わーー
あたしはいやーーっ

はっ
……
ごっ
ごめんなさい
いや…
別に
武者修行《むしゃしゅぎょう》
さん
吉岡《よしおか》へ
行くのかい?
ピリ

珍しい人だ
やめときなよ
そんなに殺気ムンムンじゃあよってたかって叩き潰される
死ぬよ
死ぬ覚悟はあるが
簡単に命を捨てる気はない

!!
ホラ 死んだ
にこり

逃げろ——
ごめんなさい！
酔っ払ってるんですこの人
ドクン…
ドクン
ドクン…

おふざけがすぎます！
ム
今日のは冗談ではすまされませんよ！
ああ怖かった
うるせいなあお前ら
あらどこへ？
またあの娘のところ？
どこがいいのかしら
近頃たいそうお気に入りの……
朱実《あけみ》ーっ
今いくぞー

めし
あんた……
コポ
コポ
どこから出てこられた
作州《さくしゅう》吉野《よしの》郷《ごう》
宮本《みやもと》村
本当に吉岡《よしおか》に？
失礼ですがあんた世間を知らなすぎる
天下一の吉岡《よしおか》道場にのそのそ乗りこんで
五体満足で出てこれた奴はいない
常識
そんな無謀な武者修行はもう久しく見ていなかったから

木剣1本さして
のこのこ乗りこんでいくという
あんたが妙にこっけいにすら見える……
悪いことはいわねえ
やめなはれ

室町家兵法所出仕
平安
吉岡拳法
吉岡拳法

天下無双の野望は今も変わらねえ
ただ
剣の道においてだ
新免《しんめん》――
いや

宮《みや》本《もと》武《む》蔵《さし》

吉《よし》岡《おか》清《せい》十《じゅう》郎《ろう》殿と試《し》合《あ》いたい

あ？
なんだ？
田舎《いなか》者《もの》
むうん？

バガボンド

じーちゃん
をかくのは
好き

宮本《みやもと》武蔵《むさし》？
聞かん名だ
そりゃそうですよ
髪の毛はバクハツしたみたいにグチャグチャ
何色かわからんくらいの汚れた服
それが木刀など腰にさして
牛のようにぬうっと入ってきて…
武者修行《むしゃしゅぎょう》の田舎者《いなかもの》か
追っぱらえいそんなもん
いえ それがそのトボケ野郎

#23 田舎者《いなかもの》の一歩

なぬ……!?
とんだ身の程知らずで
若先生はどちらに？
また遊里《ゆうり》かと
……
どうなるのかなあ
名門吉岡《よしおか》は……
吉岡拳法

植田《うえだ》良平《りようへい》と申します
作州《さくしゅう》浪人
宮本武蔵《みやもとむさし》です
まずこの門弟たちと手合わせ願いたい
清十郎《せいじゅうろう》先生と試合《しあ》うにはそれなりの腕があるところを見せていただかなければ
とにかく無駄な剣をふるいたくないお方なので

腕がたつとなれば
高弟の一人
この植田《うえだ》が
お相手しましょう
……
ところで
聞いて
おきたい
宮本氏《みやもとうじ》
死体の
引き取り手は
おありか
……!!
その前に
しつもん
ん？
どーぞ

あんたを倒せば清十郎《せいじゅうろう》殿と試合できるんだな？
植田《うえだ》さん
!!
すごい自信だね!!
宮本《みやもと》さんは!!

もし死んだら
鳥辺《とりべ》山へ捨てるなり
加茂《かも》川へ流すなり
いかようにも
おい
はい
遠慮はいらん

朱《あけ》実《み》

手入れていいか

嫌《いや》
口では言うけど
何もしない
この人は
嫌いではない
朱実《あけみ》
俺と京を出ようか
……

吉《よし》岡《おか》清《せい》十郎《じゅうろう》様ともあろうお方が何を
いつも同じ会話をしにくるこの人
嫌いではない
藤次《とうじ》さん！

お甲
若先生のお伴？
中へ入ったらいいのに！
いやこういう所は苦手でな
こんな所に座ってるほうが目立ってしょうがないよさあ入って！
ね藤《とう》次《じ》さん
藤《とう》次《じ》さん……

ちっ…何だその猫なで声は
ばばあのくせに！
祇《ぎ》園《おん》藤《とう》次《じ》――
吉岡の高弟か……
ふん
ぎゃっ
あふん
あっ…
……
くっ…

ペコリ
……
ちょっと来いっ!!
なにすんだい
仕事だよ
やめちまえっこんな仕事!
亭主を馬鹿にしてるのか!!
どん
あら
男のくせにやいてんの?
みっともない
亭主なら亭主らしくしてごらんよ
誰に食わしてもらってると思ってんのよ
酔っぱらい!
関ケ原《せきがはら》から落ちのびてきた十七の頃から
あたしと朱実《あけみ》の稼ぎで暮らしてきたんだろ
違う?

だから俺が働くって…!!
お城の石かつぎでも何でもして食わせてみせるって言ってるじゃねえか!
それをてめえがやれまずいものは食えないの
貧乏長屋はいやだのとわがままを言って……
あんたは根が作州《さくしゅう》の田舎者だからね
石かつぎでも何でもやってあくせく暮らすのが性に合ってんだろう
別に止めないから出て行きなよ
ちくしょう…
畜生!!
腐ってる…
俺は腐り切ってる…!!
くそ——っ!!
あのとき宮本《みやもと》村へ帰っていれば……
あのとき……

宮本《みやもと》村《むら》へ……!!
……わかってる
もう遅い

室町家兵法所出仕
平安 吉岡拳法
吉岡《よしおか》・・・!!
吉岡《よしおか》がなんだっ!!
藤次《とうじ》さん
あふん
くっそ――――っ
亭主を馬鹿にしやがってっ・・・!!
火つけてやる!!
くわっ

ドガッ
ぎゃ──っ
!!
ひっ…
……
何だっ…!?
……
ゴクッ

げっ
あぐっ
何っ!?
何なのっ!?

宮本《みやもと》・・・
武蔵《むさし》――

バガボンド

帰りたい…

うっ……
うっ
……
おい！
おいっ
はっ
はっ
はっ

……
おいコラ
調子にのるな
……
オラァアアアアア——ッ
チョーシのんなこらあ———!!

#24 挑戦

ドカン
おお！
……
ビリビリ
……

オラァ
オラァ
ブン
おしっ いけえ 休むな 千原《ちはら》!!
ブン
ブン
いいぞ!!
えああ!!
どうしたあ 手も出ぬか 宮本《みやもと》!!
いええええ!!
いえい!
ブン
ブン
いえい いえい
これは……。

何の稽古《けいこ》だ？
遅い
これは試合じゃないのか？
木剣《ぼっけん》とはいえ命を落とすことだってあるはずの……
真剣勝負では？
スキだらけだが……
打ってもいいんだろうか……

ガッ
げうっ!?
ドウッ
ああ千原《ちはら》!!
!!
!!

死んでる……
失礼した
宮本氏《みやもとうじ》
武士として
全身全霊《ぜんしんぜんれい》で
お相手するのが
礼儀と心得る
……
……
真剣勝負で
一瞬油断した
相手を軽く
見た慢心が
死を招いたのだ

たとえお命を絶つことになろうとも
……望むところです
ス・・・
……
高階《たかしな》さん……
本気だ
ああ

ズ…
ズ…
まさか高階《たかしな》さんまで相手することになろうとは思わなかった
ああ
あの汚い野人に
ジリ…
ズリ…
……

あの……
もう打ってもいいのかな?
!?
なんだと!?
げあっ
ドガッ
ああ高階《たかしな》——!!

まっ……
まちがいねえ!!
これは……
誰かが吉岡《よしおか》の連中に挑戦してるんだ!
そして聞こえてくる声からすると
そいつはもう少なくとも5人撃破してる!!
ざまあみろ……!!
吉岡《よしおか》道場なんざもう過去のものなんだ!!
先代の遺産を食いつぶしてるだけだ!!
跡継ぎの清十郎《せいじゅうろう》はうちの朱実《あけみ》に入れあげて通いつめるダメっぷりだし
高弟の祇園藤次《ぎおんとうじ》はお甲《こう》と……
あふん
くっそ——っ!!
じゃ…
へっへっへっ
どこの剣客か知らんがきっと名のある人なんだろう感謝しますよ
奴らを一掃しちゃってくださいよ

何してる貴様
はい？

!?
ひっ……
ぐ
あぎゃ
ぬ
うっ
だしゃっ
何故《なぜ》逃げる
あっ……あなた様は？

吉《よし》岡《おか》・・・
伝《でん》七《しち》郎《ろう》
!!
こいつが——

なんてついてないんだ!!
清十郎《せいじゅうろう》の弟
吉岡《よしおか》伝《でん》七郎《しちろう》!!
吉岡《よしおか》道場に用か
うっ
ここで一番会ってはいけない奴に会っちまうなんてっ……!!
遊び人の兄と違い弟は剣一筋の豪傑——
次男だろうが当主にふさわしいのはこっちと評判だ
うーん納得……!!
いっ……いえ通りすがりの者ですが
道場からただならぬ奇声が聞こえ——
道場の一大事かと思いましたので
清十郎《せいじゅうろう》先生に伝えねばと思っていたところです
兄者《あにじゃ》に?

今 うちにいらっしゃるので
?
お前は
「よもぎの寮」の亭主で……
又八《またはち》と申します
若先生にはいつもごひいきにしていただいておりまする
へ
へ
俺って奴は——っ
げう

どざあっ
何故
あの腰抜けが……
平安吉岡
当主に——

バキッ
がっ
ああ——
……!!
きっ……
きっさま——っ
はっ
はっ
はっ
はぁ

やれる
やれる……!!
あ……!!
吉岡《よしおか》にも
俺の剣は通用する!!

バガボンド

しーん

あがっ……
……
あががっ……
この吉岡《よしおか》道場の連中にも
……
通用する!!
俺の剣は
天下に通じるぞ!!

#25 吉《よし》岡《おか》騒然

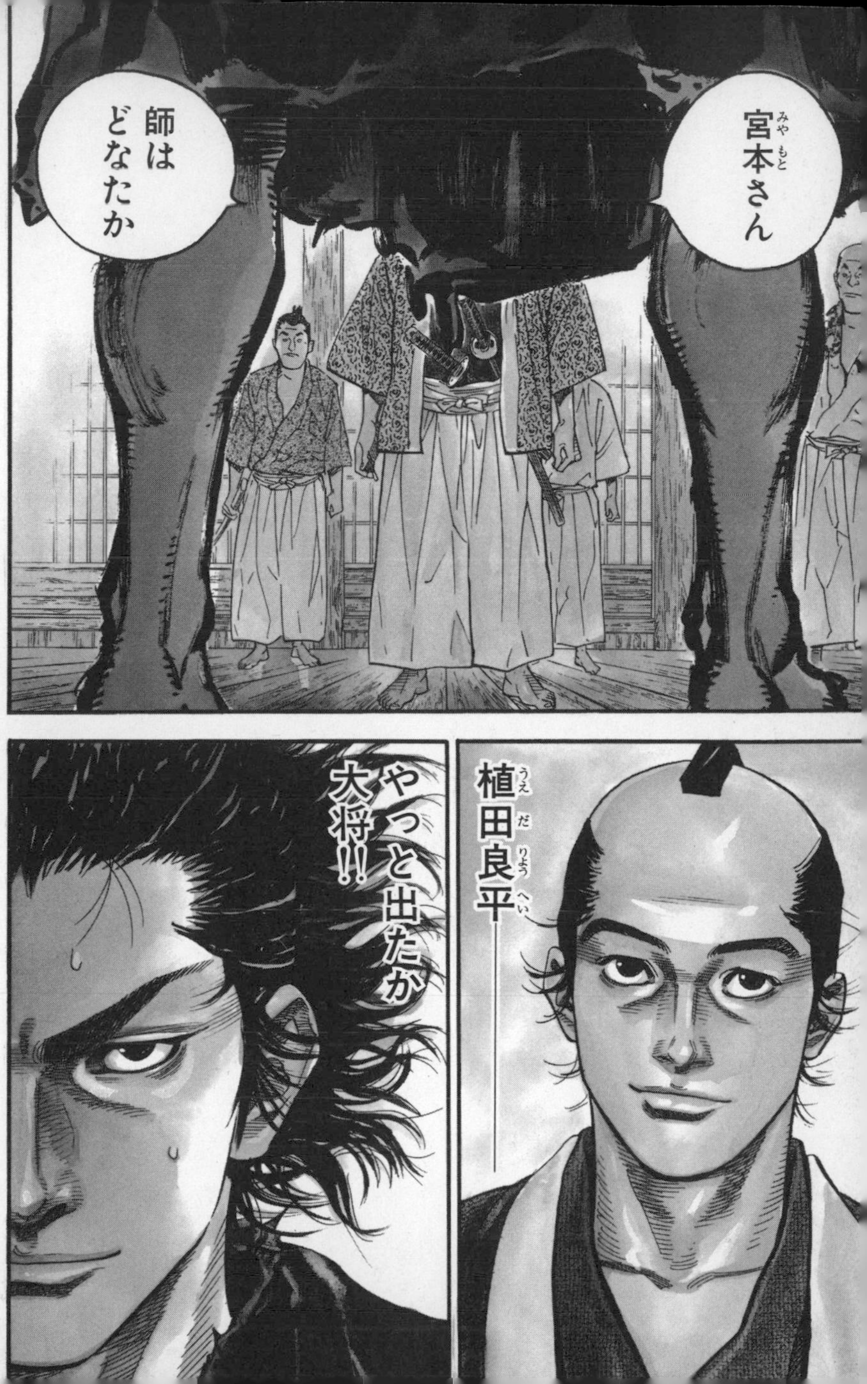
宮《みや》本《もと》さん
師はどなたか
植《うえ》田《だ》良《りょう》平《へい》
やっと出たか大将!!

師は
特になし
強《し》いていえば
幼少の頃
父 新免《しんめん》無《む》二《に》斎《さい》に
しごかれたのと
ピク
新《しん》免《めん》……
無《む》二《に》斎《さい》？
あとは
山

山にあるものすべてが師といえなくもないです
あいわかった
お願いします

お…
お願いします
なんでだ…!!
何も植田《うえだ》さんが相手することはない!
あんな作法も知らん奴に
山が師?
なんだそりゃ猿か
野人め!
……
どの流派にも似ていない……
こいつの剣には型がない

植田《うえだ》さんの本当の実力は
きっと清十郎《せいじゅうろう》伝七郎《でんしちろう》両先生にもひけをとらないと思うぜ
ああ
先代の拳法《けんぼう》先生の代からの高弟だからな
愛弟子《まなでし》だ
当時は植田《うえだ》さんが当主を継ぐという噂《うわさ》まであったというぜ
新免《しんめん》……無二斎《むにさい》!!
その息子が今ここに剛剣をふるい
吉岡《よしおか》の血を流させた
拳法《けんぼう》先生……
この先この男——
我が吉岡《よしおか》道場に禍根《かこん》を残す存在かもしれません

腕の一本くらい、
もらっておいた方が
よろしいでしょう

うむっ
剛腕!!
ぐいっ
!!

常人離れした膂力《りょりょく》にモノをいわす剛剣!!
まともに受けては木刀ごと脳天を割られるな
うっ……
……
……
植田《うえだ》さん
あんたはこの京《きょう》で何番目か
!?
京《きょう》で何番目に強いのか
何番とは?
知りたい
ゼヒ

何故《なぜ》そんなことを聞く
田舎《いなか》者《もの》ですが
京《きょう》に来た目的は
強い男の集まるこの京《きょう》で一番強い男を倒すこと
……バカか
こいつは
あんたはなんとなく……
かなり強い部類の人のような気がする
当たり前だコラァ!!
ブー
終わりだお前は
身の程を知れ!!
ギロリ
勝ったときに
知っておきたいからです

天下無双に近づけたかどうかを

この吉《よし》岡《おか》道場にのりこんで
天下無双を口にする者がいる……

!!
当主が恥をさらしてまわるから
吉岡《よしおか》の看板がどんどん軽くなっていくのだ!!
植田《うえだ》それまでだ
ずん…
ずしっ…
……
先生…
お前は優しいからこいつの腕一本落とすくらいで許してやるんだろう
だが口が残る

この吉《よし》岡《おか》の名を汚《けが》してまわることはできる
俺が殺す
……

当主の…
吉《よし》岡《おか》清《せい》十《じゅう》郎《ろう》殿とお見受けした
!?
ぷっ…あいつっ!
本当に何も知らんな!!
猿め
……
作《さく》州《しゅう》浪人宮《みや》本《もと》武《む》蔵《さし》
試合を申し込みたい

宮本《みやもと》
この……
何様のつもりだ!?
礼儀を知らぬにも程がある!!
山へ帰れ山へ!!
……当主である
!?
むうん
やはり
姓は吉岡《よしおか》
名は伝七郎《でんしちろう》

吉《よし》岡《おか》道場の
当主は俺だ
勝負してやる
誰かこいつに刀を
伝七郎《でんしちろう》先生……

駄目だよ
かまわん どけ植田《うえだ》
……
これから長きにわたって吉岡《よしおか》道場を支えていくのはあんただ
当主はあんただ伝七郎《でんしちろう》さん
……!!

植《うえ》田《だ》
伝《でん》七《しち》郎《ろう》？
当主には当主の格というものがある
相手は選ぶべきだ
殺せというなら俺が殺そう

何勝手をほざいてる?
植《うえ》田《だ》
!!
いつから当主は二人になった
祇《ぎ》園《おん》

くあっ…
ふらッ…
ただいま
兄《あに》者《じゃ》!!
……

あっ
お前は!!
あれ？

バガボンド

すぐぶつぶつを
かきむしりそうに
なる

お前はっ……!!
おや

#26 当主

吉岡《よしおか》…
清十郎《せいじゅうろう》……!?
あいつが!?
やあ 武者修行《むしゃしゅぎょう》さん

やっぱり来ちゃったのか……
よせと言ったのに
兄者
知ってるのかこいつを
ドクン……
昼間道端で会った
ホラ死んだ
ドクン

ギュ…
こいつが……
吉《よし》岡《おか》!!

……!
すた
すた
終わりだ……
ゴクリ
伝七郎《でんしちろう》に続いて清十郎《せいじゅうろう》に藤次《とうじ》まで帰ってきちまったっ!!
弟子を5人も倒したんだあの人……そのうち何人かは死んだかもしれん
無事に帰してもらえるはずはねえ……
殺される!!
なのになぜ……

俺は
こんなこと
してる!?
見つかったら
俺まで
殺されるぞ!!
そろーり
はあ
はあ
はあ
はあ
はあ
おいっ!!
帰ろうっ!!

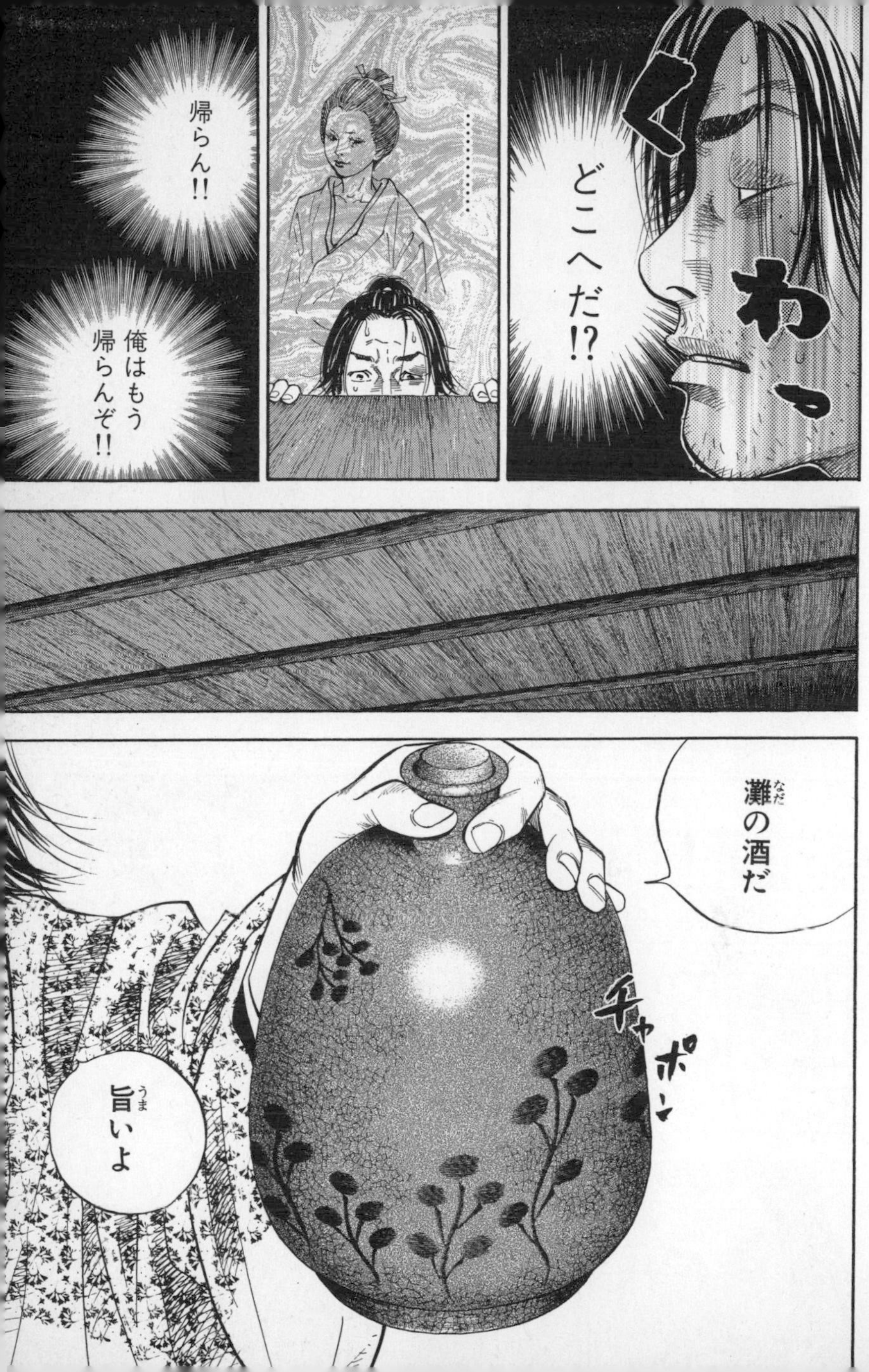
くわっ
どこへだ!?
……
帰らん!!
俺はもう帰らんぞ!!
灘《なだ》の酒だ
チャポン
旨《うま》いよ

これを持って
お引き取りを
!
!!
ぎり…
兄者!!
……!!

酒の味は わからん
野人 だから
……
血迷ったか 宮本《みやもと》
天下に聞こえた 吉岡《よしおか》清十郎《せいじゅうろう》を 目の前にして おきながら
ただ 土産《みやげ》もらって 帰れるかよ!!

なんだこいつは
ふるえてるよ
!
……
ブル
ワハハハハハハ!!
なんだ口先だけか!!
ブル
ブル
抑えきれん
ブル
清十郎《せいじゅうろう》殿

俺の全てをぶつけさせてくれる器量はあるか？

名も知らぬ 兵法者《ひょうほうしゃ》さん…… 礼を言うよ
少しの間だが わくわく したよ 吉岡《よしおか》道場に 一人で立ちむかった あんたのおかげで
俺も出直す 勇気が 出てきた
槍一本で 大志を抱き
関ケ原《せきがはら》に 出ていった あの頃の気持ちを 思い出した
あんたの おかげだ
まだ 遅くない
強くなる
出世 してやる ……!!

……よく見えねえな……
まだ殺されちゃいないよな……
……
兵法者さん——
実は俺…
親友を見捨てて逃げた男なんだ……
そいつは一人で何十人という野武士たちの中へ斬りこんでいった
そう まさに今のあんたの状況だ
そして俺は……
俺は刀をもっていなくて……
……
足が固まっちまって……

頭の線が切れちまったんだ……
……
友を見殺しにしてまで生きたのに…
結局あれからの俺は死人同然だった
もう嫌だ……!!
乗りこえるんだ
自分を……!!

小僧!!
ブオッ
ドガッ

よせ
伝七郎《でんしちろう》さん
あーあ
もったいないなあ
せっかくの名酒
が……
おい誰か
片付けてくれ
危ないよここ
メキッ
あっ!!
吉岡《よしおか》の当主
とは――
断じて
そんなに
軽いものではない!!

こんな山猿ただちに叩き殺して一顧《いっこ》だにせず!!
それでこそ吉岡《よしおか》!!
なんだよニセ当主
だましやがって
!!
挑発にのるな
当主より強いとでもいうのか?あんたが
…!!

…もはや
闘争本能の
塊《かたまり》になっている
死ぬしかないな
あの男
……
とん
とん
割るぞ
ここを
死ね

バッ

バガボンド

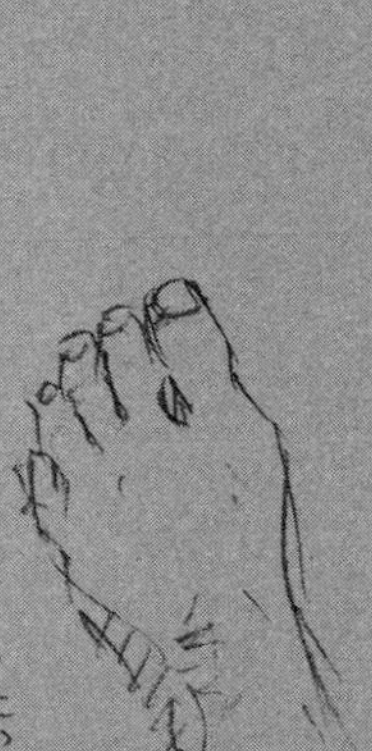
じつははだしの足って
今まであまり
かいたことなかった…

ポタ
ポタ

#27
本能

なんという太刀《たち》の疾《はや》さ
あの小さな体から腕が大蛇のように伸びた……!!
これが……
吉岡《よしおか》清《せい》十《じゅう》郎《ろう》!!
……
獣は敵に会うとうなり声をあげ
おそろしいカオで吠える
なぜかわかるかい?

……
ひき退《さ》がってくれれば
戦いを避けられるからだ

本能はまず
戦いを避ける
あ……ありがとう清十郎《せいじゅうろう》殿
俺のような者にも腕を見せてくれて
……
ふっ……

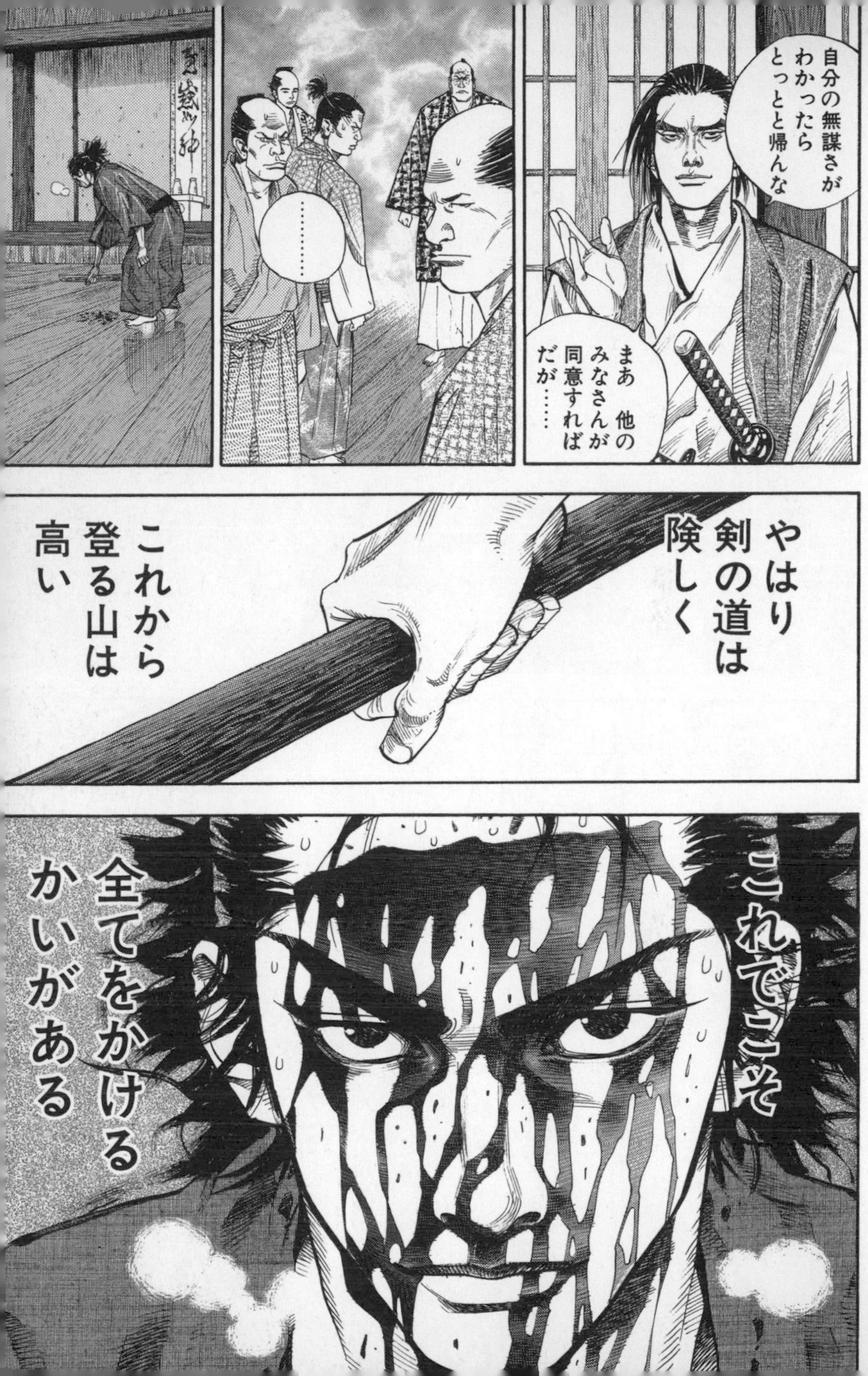
自分の無謀さがわかったらとっとと帰んな
まあ 他のみなさんが同意すればだが……
……
やはり剣の道は険しく
これから登る山は高い
これでこそ
全てをかけるかいがある

なおさら挑戦せずにおれるか!!
改めて試合を願います
!!
この…
バカが
!!
執着は見苦しいよ
宮本《みやもと》とやら
……
妙な奴
額を割られてなお生き生きしてきやがったぞ?

君の全てを
ぶつけさせる
器量……
といったね
俺に
そんなものは
ない
なぬっ
だって
やりたくない
もの
……

ギリ
当主が何をへなちょこなことを……!!
将軍家師範《しはん》吉岡《よしおか》拳法《けんぽう》
その長男に生まれた宿命は受け入れるが
性格は変えられん
俺は本能に従う

ゆえに…
また出かける
色《いろ》街《まち》へ
なっ
!?
……!!
さらば!!

じゃっ

……
逃げられた……!!
やれやれだな……
だが…
俺の上に立つに足る技量の持ち主は若ただ一人
だから俺は当主に従う
自惚《うぬぼ》れるな祇園《ぎおん》……!!
ふ…

宮本《みやもと》武蔵《むさし》とかいったな
おもしろい奴だ
今日ここから生きて出られるようなことがあれば
そのときはこの祇園藤次《ぎおんとうじ》が相手してやる
祇園《ぎおん》藤次《とうじ》
えらそうな奴
すた…
すた
……どうもそれは難しそうだがな……

これで……最悪の状況は脱した……!!
吉岡《よしおか》道場最強といわれる4人のうち2人は消えた
でもまだ2人いる……!!
豪傑伝七郎《でんしちろう》と
植田《うえだ》良平《りょうへい》
大勢の弟子達も
それに……よく見えねえけど……
どうも顔面血だらけのようだぞあの人
ゴクリ
……………
助けるならもう今しかねえぞ!!

ゆーら
ゆーら
色《いろ》街《まち》はどこだ
!!

おっ…
追いかける気か!?
そんな血だらけになってまだ
わからんのか!!
貴様の負けだ!!
馬鹿め!!
こっちの腕をまだ見せていない
一《ひと》太刀《たち》返したい

京で一番強いのはやはり
吉《よし》岡《おか》清《せい》十《じゅう》郎《ろう》
それ以外と戦う理由はない

高階《たかしな》さんが……………
す…
今……!!
……!!
これでやられた5人
全員が息をひきとりました
……
みしっ…
わかったか……
こちらには戦う理由がある……!!

宮《みや》本《もと》武《む》蔵《さし》
貴様を殺す理由がな!!
どん

バガボンド

ぶわっ
!!
先生っ…

死んだのは……
高階《たかしな》と誰だ
……
千原《ちはら》と仁村《にむら》……
それに蓮沢《はすざわ》と……
梶《かじ》です
……
俺は兄者《あにじゃ》とは違う……
弟《で》子《し》を5人殺されてヘラヘラ笑うことはできん
貴様を5回殺さねば気が済まん
伝七郎《でんしちろう》さん——

もう止めるな
植《うえ》田《だ》!!
#28 悪鬼2

伝七郎《でんしちろう》先生!!
先生!!
当主!!
戦って出るしかないのか
そうだ

奴に刀を
……
ム…？
マズいぞ

いくら
あの人が強くても
伝七郎《でんしちろう》と戦うのは
ムチャだ！
……
……でも
一体どう
やって…
!?
殺される
前に
助けなきゃ
もう
今しかねえぞ!!
…！
ガタ
ガタ
ガタ
ばっ
……
はっ
はっ
はっ
どうした
刀を
もう……
この期《ご》に
及んで…
試合の体裁《ていさい》を
とる必要は
ありません!!
伝七郎《でんしちろう》
先生!!

この男を殺すのみ!!
む…
ギュッ
……
おかまいなく

これでいい

ざわっ
……!?
イキがりやがってあの野郎……!!
何だありゃ
ざわ
ざわ
両手に半端《はんぱ》なモンを持って何になる……!?
虚仮《こけ》おどしか……?
それで……
どうするつもりだ?
…………
よし……!!
ドックン
行くぞ!!

今だ！お逃げなせえ!!
これでいい!!さあ行こう!!
よし!!

行く!!
俺は行く!!
ここで生まれ変わる!!
一!!
ドクン
二ィ!!
!
ん!?

ドッ

伝《でん》七《しち》郎《ろう》先生!!
先生!!
………
ぐむ…
なかなか……
悪知恵が働くな

ヅイ
ぐるん
ぐるん
骨は いっとらん
うむ
短い分 浅かった かな
ポイ
ボコッ

今度は命に届く

もしかしたらこの人……
伝七郎《でんしちろう》を倒すかも……!?
くわ!
邪魔しないほうがいいかも!!
ブォッ

…!!
ぶあっ
ぐっ…!!
凄《すさ》まじいっ!!
悪鬼のようだ!!
悪鬼…

はっ
はっ…
はっ
剣の道を志《こころざ》せば
強さこそ至高
吉岡拳法《よしおかけんぼう》!!
柳生石舟斎《やぎゅうせきしゅうさい》!!
皆 強さで
世を駆け上がった
悪鬼とは
ここでは
褒《ほ》め言葉だ
この京《きょう》に
来て——
やっと俺は
命を得た
………!!

先生!!
ガッ
……その笑みは自信の笑みか?
……!!
何を根拠にそう思い上がる若造

バガボンド

イメージトレーニング中

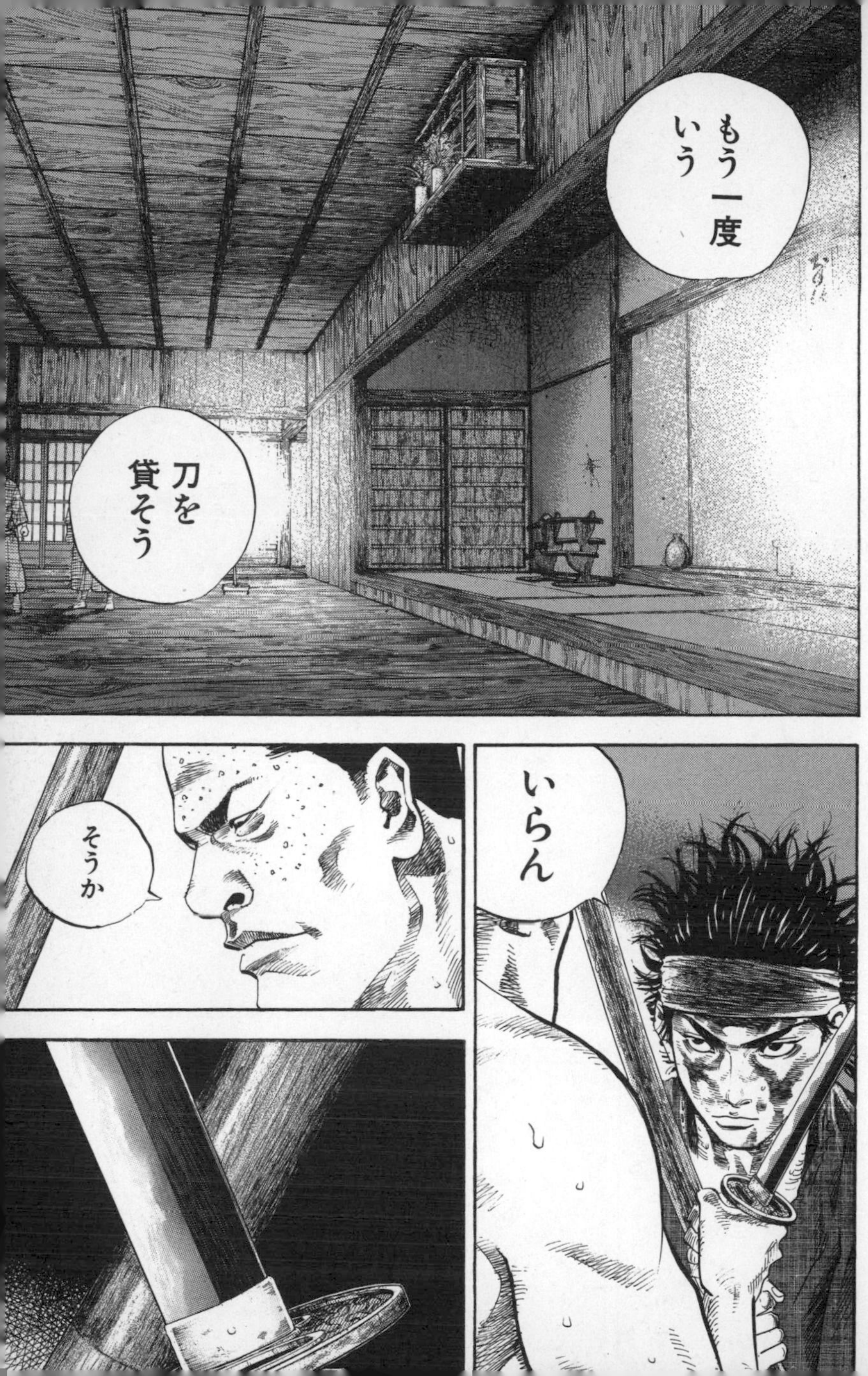
もう一度いう
刀を貸そう
いらん
そうか

ス‥
!!

宮本《みやもと》武蔵《むさし》……
貴様の自信は単なる世間知らず——
本当に強い者と対峙《たいじ》したことのない……

#29 世間知らず

根拠のない盲信
あるいは
こうであればいいなという
希望にすぎん

!!
喋《しゃべ》ってろ せいぜい
生きてるうちに
ドッ

ブン
!!
うわ…
ドオッ
ぐあっ
ゴッ

!!
ギョ!!
ギッ
ひえっ!!
見つかった!?
ドキ
ドキ
どうする!!
ドキ
ドキ
どうするっ
逃げよう!!
命をなくしては何にもならん!!
もともと俺には関係ないじゃないか!!
関係ないっ!!

はあ
はあ
はっ
はあ
……
何を
やってるんだ
俺は……
……
……

「情熱」
「気《き》魄《はく》」
「怒り」
押し殺したはずの――
「恐怖」

すべてお前の剣に映っている
ピクリ

…………
こいつ……
この図体《ずうたい》で
なぜことごとく
俺の剣を
かわせる？
……
剣先が
そわそわ
……
「焦《あせ》り」か？
……!!

かっこつけてらっ……!!
気取るな
キザなボンボンめ!!
来るぞ
!!

ドン
!!
ズズズ
ズ…
ズズ
……

うまい!!
グイッ
こりゃあいい酒だ!
ズズ
ズズッ
!!
あっ
よォし!!
どし

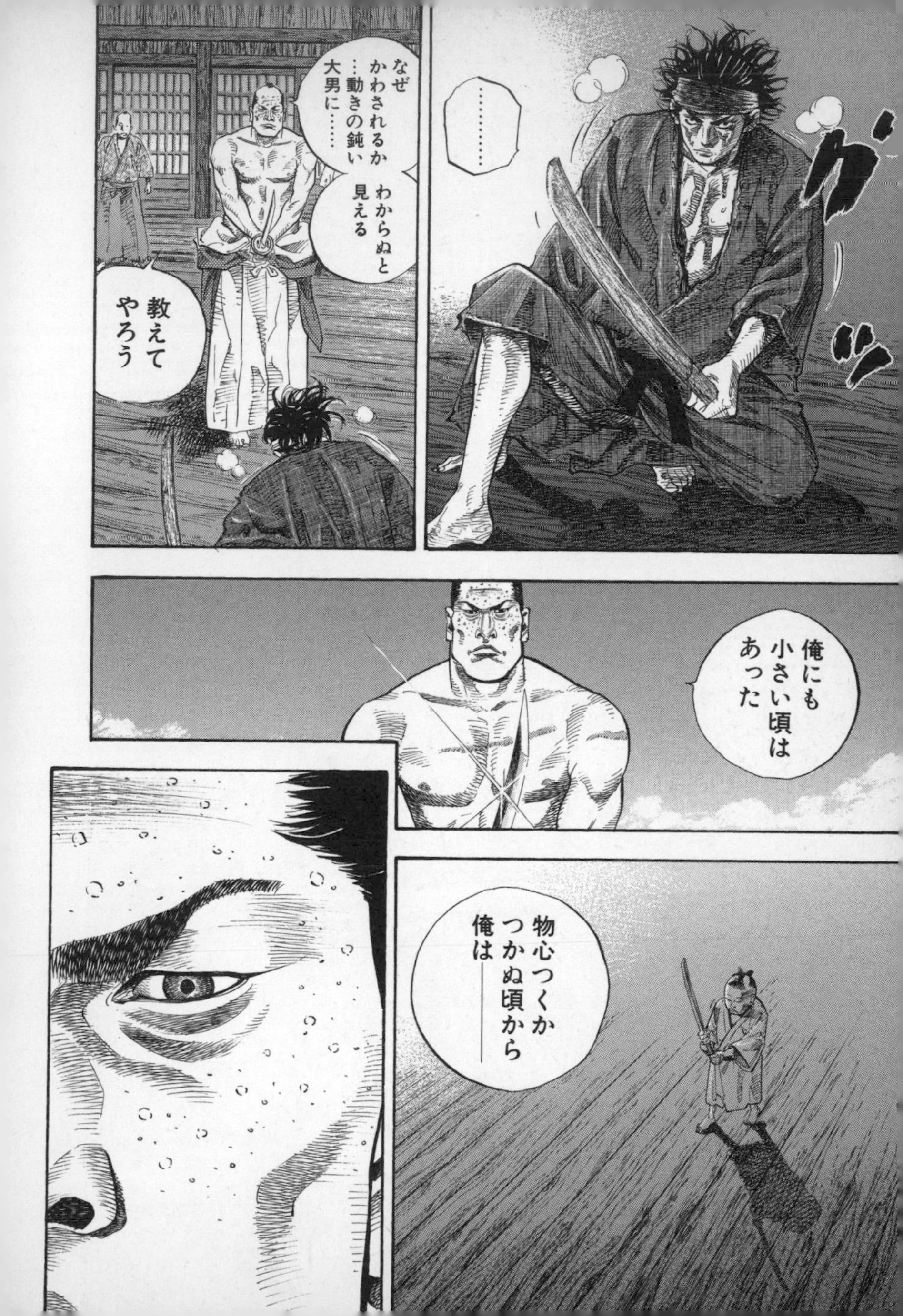
……
ガッ
わからぬと見える
なぜかわされるか…動きの鈍い大男に……
教えてやろう
俺にも小さい頃はあった
物心つくかつかぬ頃から俺は——

吉《よし》岡《おか》清《せい》十《じゅう》郎《ろう》の剣を受けてきたのだ

宮《みや》本《もと》

ス…
貴様の剣は見えている

ドッ

バガボンド

む
お
#30 一《ひとつ》の太刀《たち》

んぐ
んぐ
ふい——っ!!
うめっ
俺もたたかっている——っ!!
吉岡《よしおか》の酒をのんじまうんだ!!
んっ
んぐっ
ゴキュ
ゴク

ぶっはーーっ
うめっ
うめーよ
これ!!
ゲフー
よっ
吉岡《よしおか》の連中《れんちゅう》がっかりだぞ
これ全部のんじまったら
へっへっザマミロ
へっ
ぐらり
ズズズ
……
あの兵法者《ひょうほうしゃ》……相当な腕の持ち主だったんだろうな……
一人で吉岡《よしおか》の門弟を5人も倒したんだ

でももう生きてはいまい……
伝七郎《でんしちろう》が相手じゃあ
立派だ……
剣に生きる男として立派な死に様だよ
格好いいよ兵法者さん
んっ
んっ
んっ
……
俺には出来ねえ……とても……
あの人ですら死んでそれきり何も残りゃしねえんだ……
まして俺など……

……………
ば
!!
ごへっ
ぐは
げへっ!!
……何が立派なものか
はっ
はっ
はっ
はっ
死んだらそれまでだ
死んでたまるかっ
俺は新免武蔵《しんめんたけぞう》様だっ
死んでたまるかっ
俺は本位田又八《ほんいでんまたはち》様だっ!!

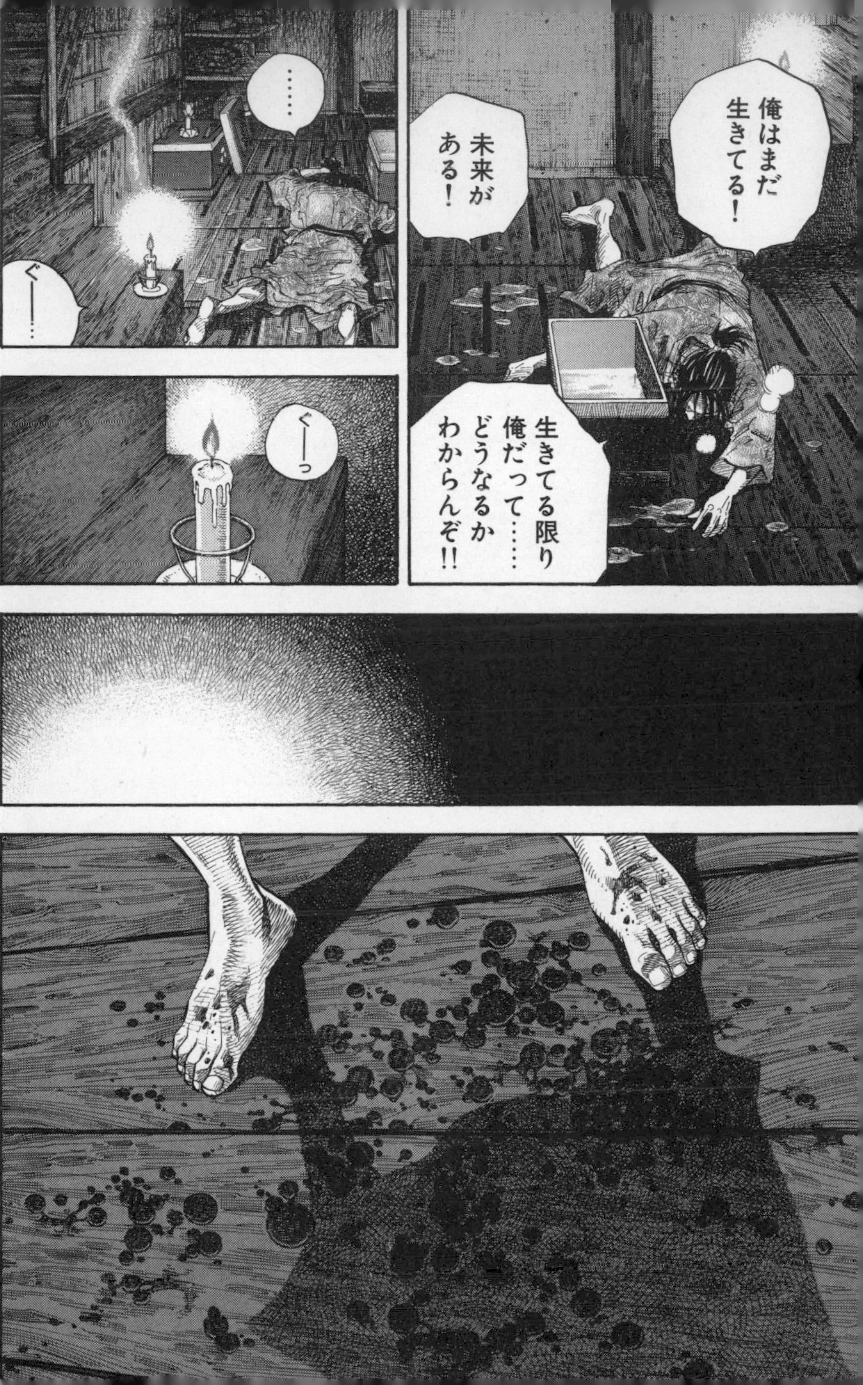
俺はまだ生きてる！
未来がある！
生きてる限り俺だって……どうなるかわからんぞ!!
……
ぐ——…
ぐ——っ

ぐむっ
ドッ…
ドッ…
ぶあっ
ドッ…
ドッ…
はっ
はっ
はっ
ドッ…
ぬうっ
ドッ…

このがきゃあっ……!!
浅かった
一瞬体を捻《ひね》って致命傷をまぬがれたっ!!
あの伝七郎《でんしちろう》さんこん身の一《ひとつ》の太刀《たち》を
たとえ不完全といえどもかわせるものではない

命のやりとりといえるほどの戦いを
何度も経験してきた者でなければ
『幼少の頃父・新免《しんめん》無二《むに》斎《さい》にしごかれた――』
真に強い男と幼少の頃から対峙してきたのは伝七郎《でんしちろう》さん――
あんただけじゃないのかもしれん
宮本《みやもと》武蔵《むさし》奴もまた――
しかもその相手は

先代・拳《けん》法《ぼう》先生を
破った唯一の男
新《しん》免《めん》無《む》二《に》斎《さい》

……
先生っ!!
とどめを!!
もはや何もできない!!
奴は先生のあと一振りで終わりだ!!
だが生きている

ふっ
ふっ
ふっ
先生!!
わからんのか
奴に余力がまだ残っているとしてあと一振り
あの手負いの獣はその一振りで――
相討ちを狙う

!!
ドッ…
ドッ…
ドッ
ドッ…
すーっ
ふーっ
すべてを
一《ひとつ》の太刀《たち》に
込めた
骨を
断つべく
容赦など
なし

だが
骨の感触は
なく
この宮《みや》本《もと》

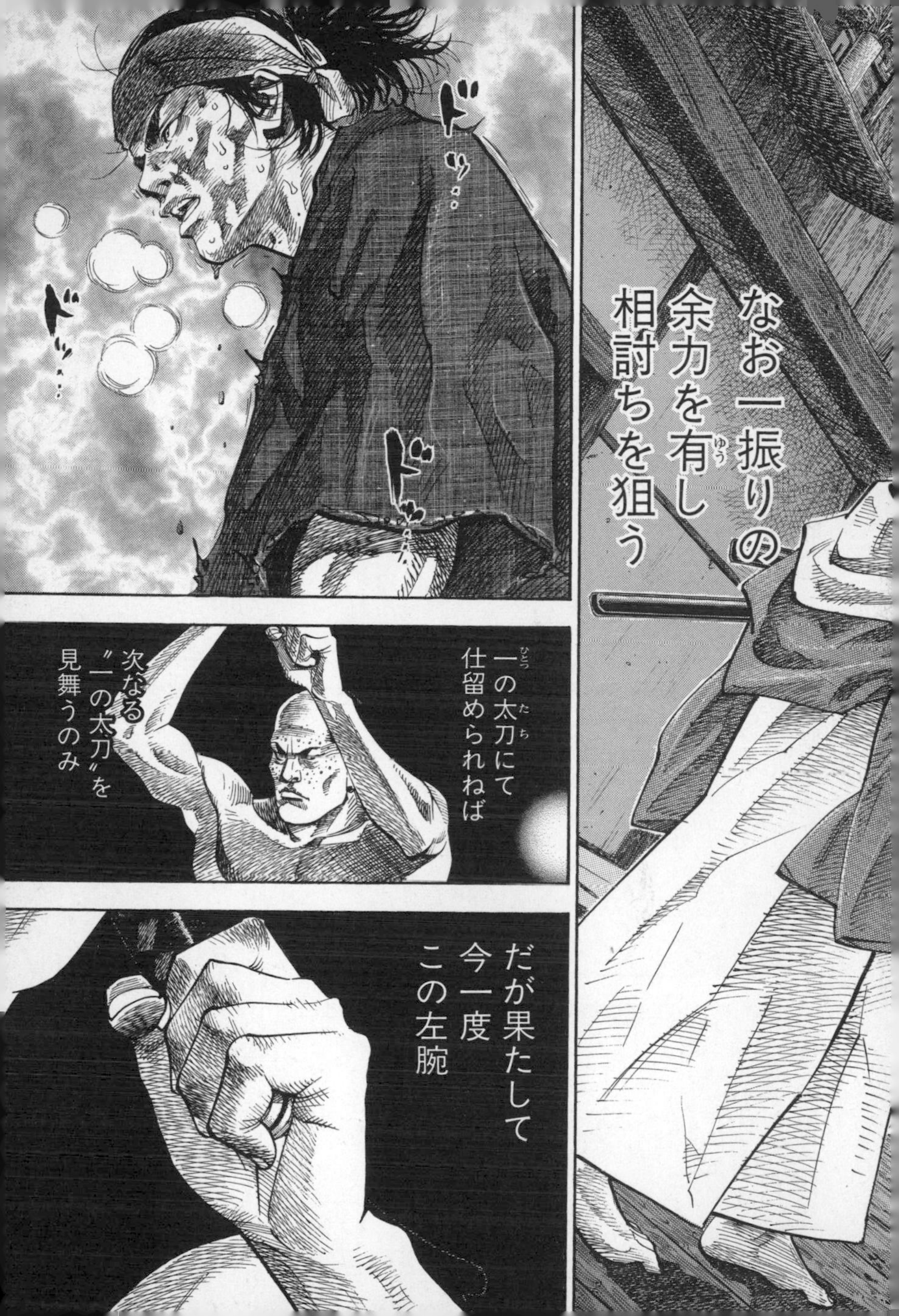
なお一振りの
余力を有《ゆう》し
相討ちを狙う
ドッ…
ドッ…
ドッ…
一《ひと》の太刀《たち》にて
仕留められねば
次なる
〝二の太刀〟を
見舞うのみ
だが果たして
今一度
この左腕

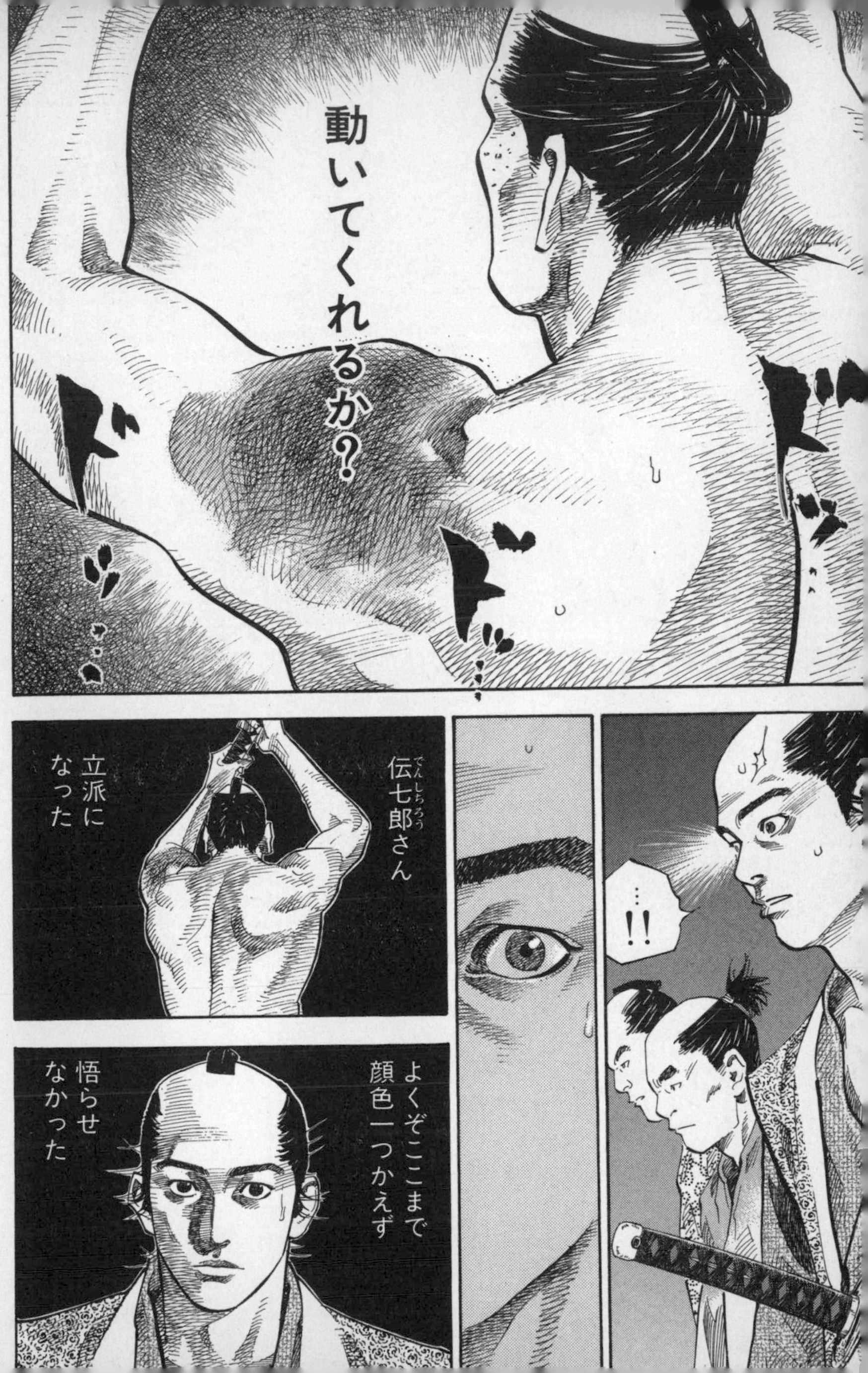
動いてくれるか？
ドドド…
ドド…
ドド…
…!!
伝七郎《でんしちろう》さん
立派になった
よくぞここまで顔色一つかえず
悟らせなかった

あの剛剣をくらって
平気なはずは
なかったのだ
あの獣に
もはや失う
ものなし
捨て身でくるぞ

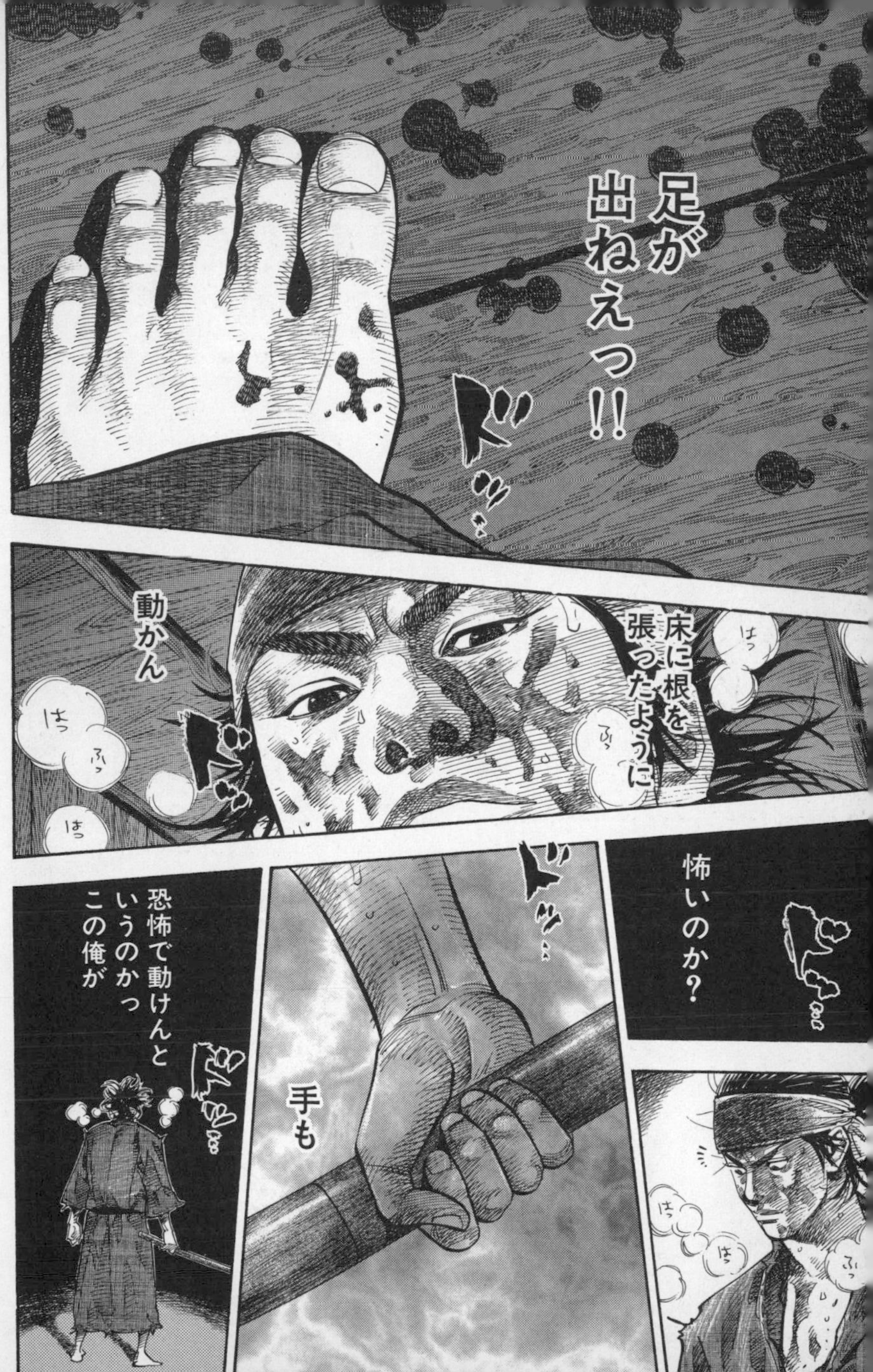
足が出ねえっ!!
床に根を張ったように
はっ
ふっ
動かん
はっ
ふっ
はっ
怖いのか?
手も
恐怖で動けんというのかっこの俺が
はっ
はっ
ふっ

死が――
怖いのかっ……………!?
はっ
はっ
はっ
ぜっ
ぜっ
ぜっ
……
ん……

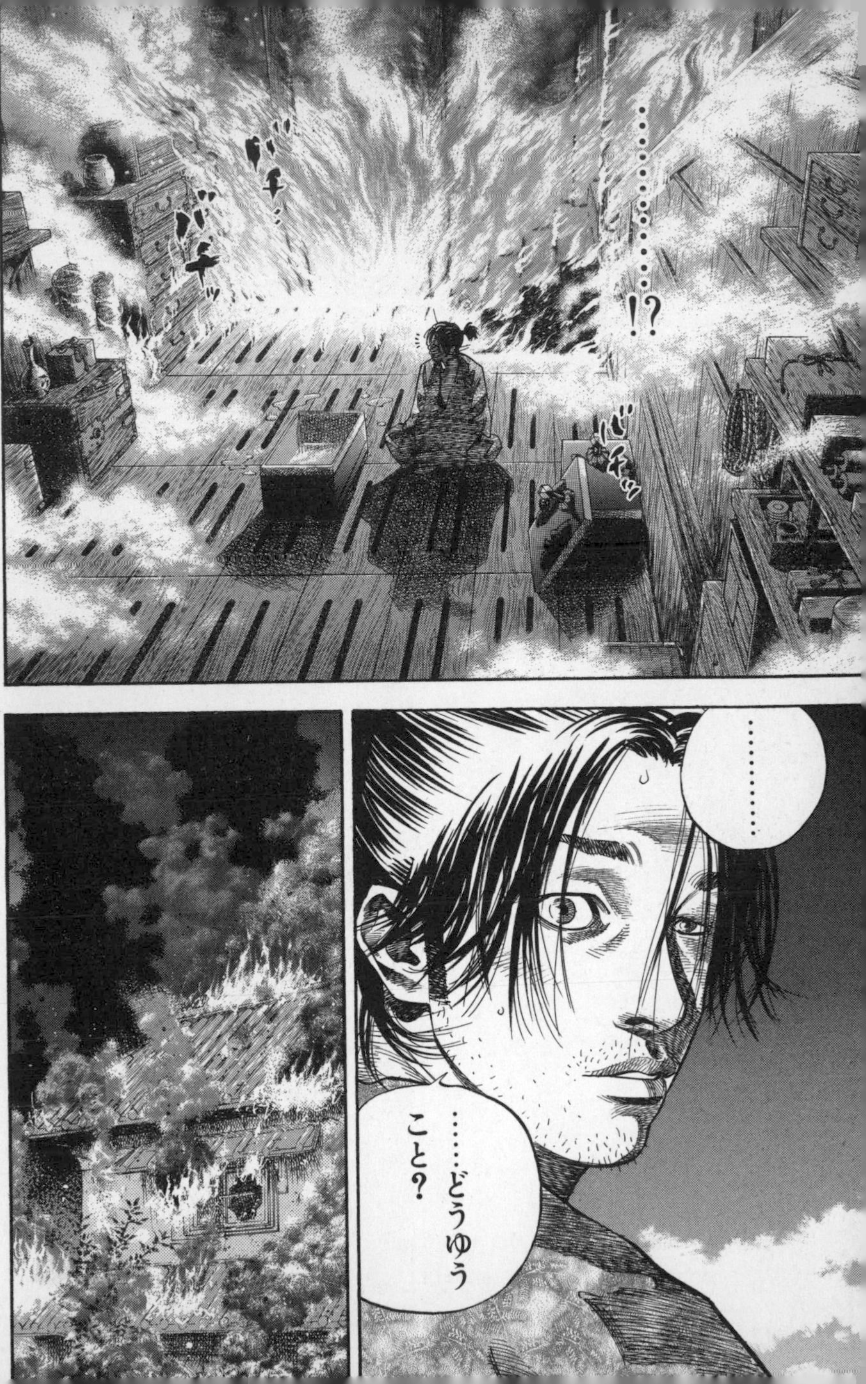
……………!?
バチ…
バチッ
ビチーッ
………
……どうゆうこと?

バガボンド

泣くな
伝七郎

……
スン
ん……
くん
なんか……
スン
スン

#31 業火

何だこれは——っ!!
わああ——っ
ゴオオオオ
消せ——っ

……!!
は、
はっ
ふっ
……!!
はっ
ぜっ
ぜっ
ふっ
……
あっ!?
………
今誰かいたっ!!
逃げたぞ!!
なにっ!?

はっ
ひっ
はっ
逃げなきゃ!!
逃げなきゃ!!
殺される!!
殺される!!
新笠《にいがさ》!! 3人連れて そいつを捕まえろ!!
は……はい!!
若島《わかしま》と貝井《かいい》は御屋敷を見てこい!!
はい!!
残りは火を消せっ!!

……
貴様の差し金か？
ピクリ
……
済まぬ失言だ

消せーっ
消せーっ!!
くっそーっ!!
バチバチッ
去れ
バチッ
パチッ
ドッ
まだ一本ずつだ……
勝負はついていない
ドッ
先生!! 植田《うえだ》さん!!
早く外へ!!
宮本《みやもと》
ドドッ

命を大事にせよ
そして
もっと強くなった貴様が見たい

時間を……
くれるというのか
俺に……
ドッ
ドッ
時間は誰にも平等だ
俺にも

いずれ必ず
貴様を殺す
そのときまで生きていろ

うわああ だめだ!!
火の勢いが ありすぎる——っ!!
ゴオオオオ
うわあ……
大変だ……!!
天下の吉岡《よしおか》道場が燃えてらァ
キレーだなー
おいっ殺されるぞ
放火犯は必ず現場に戻るというが……
本当だ
くそっ いたか!?
わからん!! 捜しようがねえ!!
くそっ!!

あ…
何だっ!?
斬られてるぞ
あの人だっ
生きていたのか……!!
吉《よし》岡《おか》伝《でん》七《しち》郎《ろう》
ふっ
はっ
ぐっ
ふっ
吉《よし》岡《おか》清《せい》十《じゅう》郎《ろう》
吉《よし》岡《おか》清《せい》十《じゅう》郎《ろう》!!
吉《よし》岡《おか》伝《でん》七《しち》郎《ろう》!!

ぬああああああっ

強い

否
俺の方が強いっ

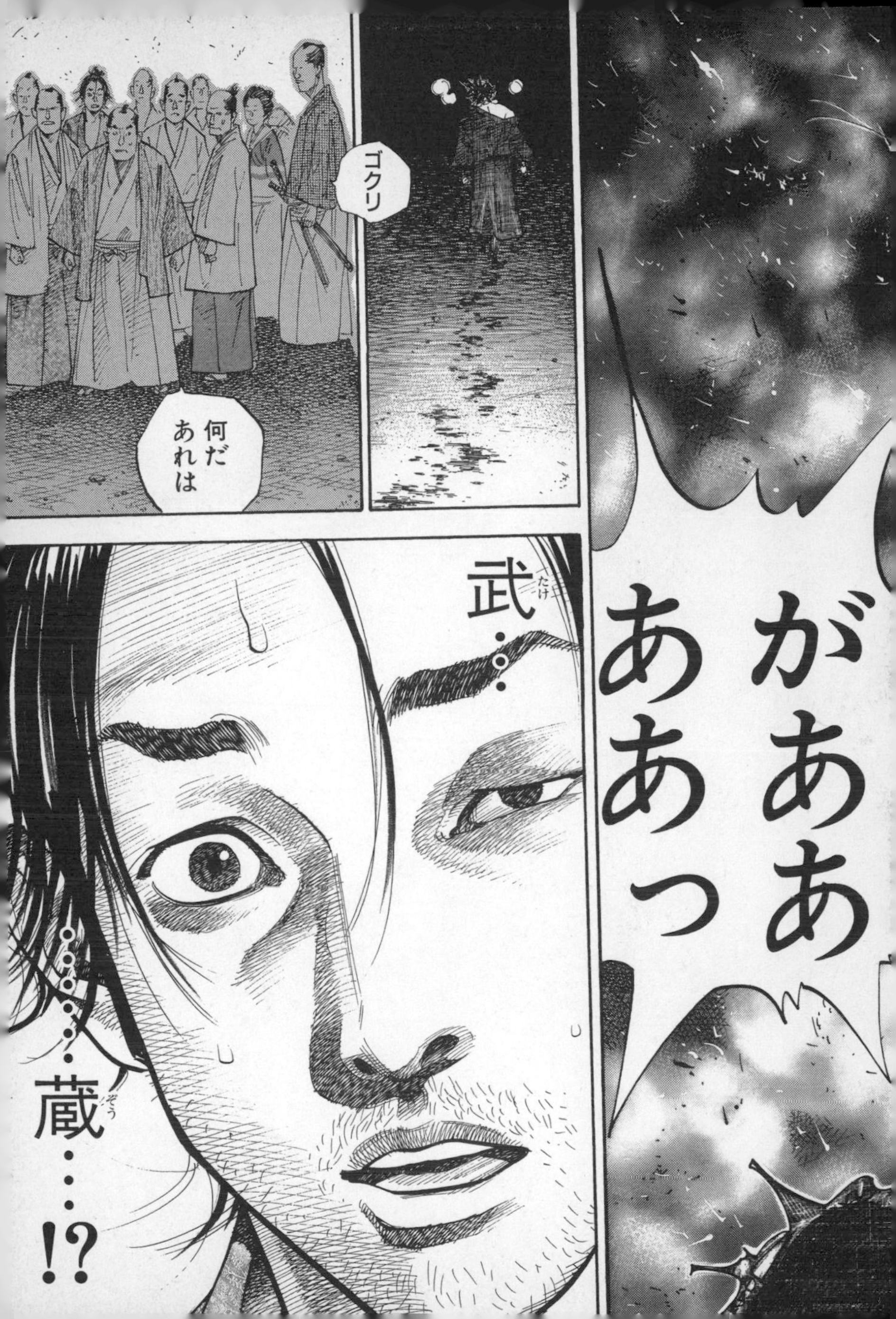
があああっ
ゴクリ
何だ あれは
武《たけ》……
……蔵《ぞう》……!?

武《たけ》蔵《ぞう》!?
うそ
武《たけ》蔵《ぞう》なのか!?
いてっ
何すんだ!!
武《たけ》蔵《ぞう》っ!!

あいてっ
ド
この野郎!!
ドドッ
何だ?
喧嘩《けんか》だ
喧嘩がはじまったぞ!!
火事に喧嘩か!!
いいぞやれやれっ!!
ザシ
ザシッ
武蔵《たけぞう》っお前だったのか!?
生きていたのか!?

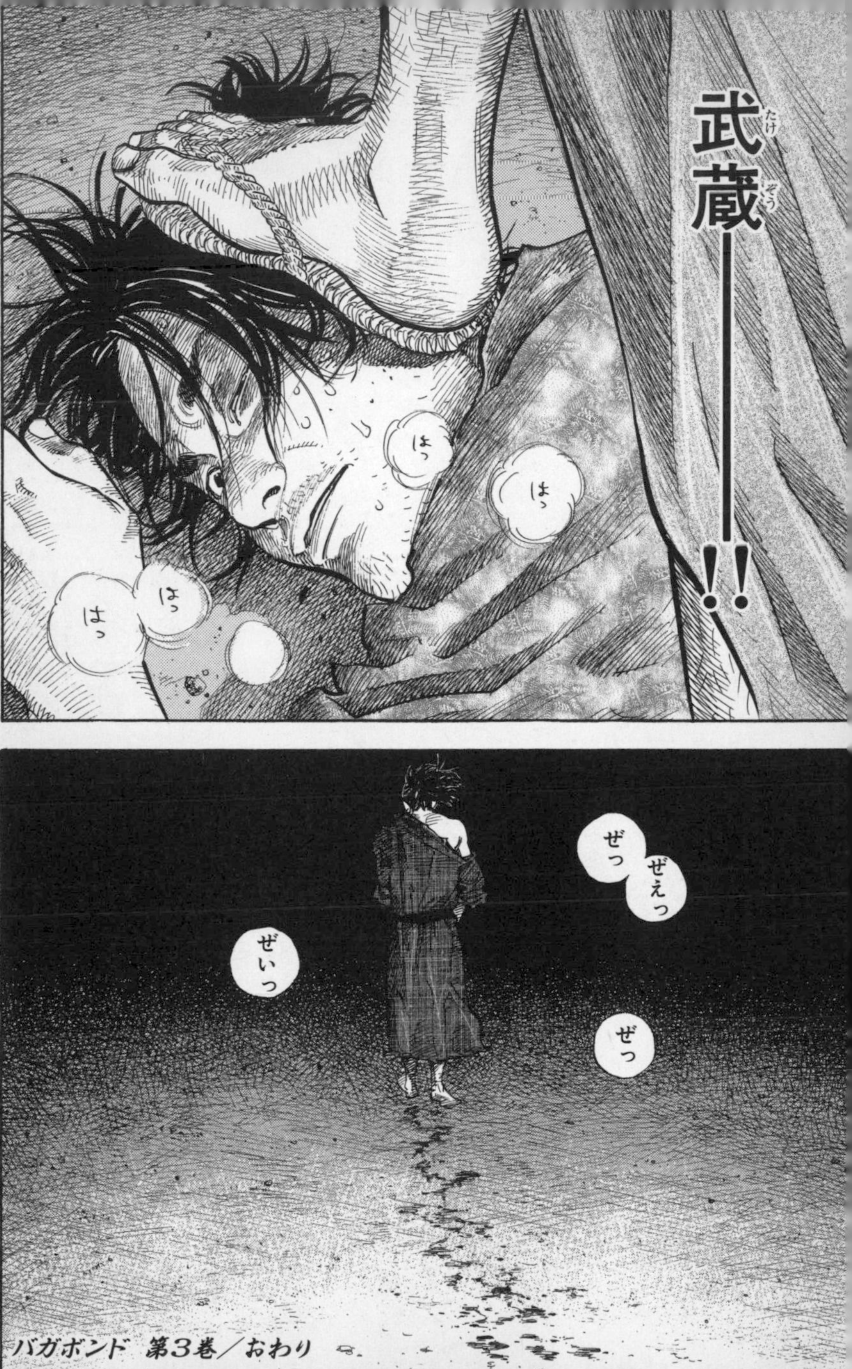
武蔵《たけぞう》――――!!
はっ
はっ
はっ
はっ
ぜっ
ぜえっ
ぜいっ
ぜっ
バガボンド　第3巻／おわり

モーニングKC644

バガボンド 3　Vagabond

1999年　7月22日　第1刷発行
2001年　7月13日　第13刷発行
（定価はカバーに表示してあります）

著者　井上《いのうえ》雄彦《たけひこ》／吉川《よしかわ》英治《えいじ》

発行者　五十嵐隆夫

発行所　株式会社講談社
〒112-8001
東京都文京区音羽2-12-21
Tel.東京(03)3945-9155〔編集部〕
東京(03)5395-3608〔販売部〕

装丁　thesedays

印刷所　株式会社廣済堂

製本所　誠和製本株式会社

Printed in Japan
N.D.C. 726　226p　19cm

落丁本・乱丁本は小社雑誌業務部宛にお送りください。送料小社負担にてお取り替えいたします。（電話03-5395-3603）　なお，この本についてのお問い合わせはモーニング編集部宛にお願いいたします。

ISBN4-06-328644-4(モ)

『バガボンド』第3巻は，'99年のモーニング12号から13号，15号から19号，21・22合併号から24号に掲載された作品を収録したものです。編集部では，この作品に対する皆様のご意見・ご感想をお待ちしております。また，今後「モーニングKC」にまとめてほしい作品がありましたら編集部までお知らせください。

〒112-8001
東京都文京区音羽2-12-21
「講談社 モーニング編集部」
モーニングKC係